WG MORRISON
CAPTAIN

LE PROPHÈTE

DANS LA MÊME COLLECTION

LE PROPHÈTE

Traduit de l'anglais par Paul Kinnet

KHALIL GIBRAN

ÉDITIONS SÉLECT

Dépôt légal :
Bibliothèque Nationale du Québec
Bibliothèque Nationale du Canada
Troisième Trimestre 1981

Traduction de Paul Kinnett

ISBB : 2-89132-527-3

G 1266M

SOMMAIRE

Almustafa, l'élu, le bien-aimé, qui était l'aube de ses propres jours, avait attendu douze ans dans la cité d'Ophalèse que son bateau revienne pour le reconduire dans l'île où il état né.

Et au cours de la douzième année, le septième jour d'Ielool, le mois de la moisson, il escalada la colline à l'extérieur des murailles de la ville, et il regarda vers la mer. Et il put voir son navire qui s'avançait avec la brume.

Les portes de son cœur s'ouvrirent alors toutes grandes et sa joie s'épancha au dessus de l'immensité. Et il ferma les yeux en priant dans le mystère de son âme.

Mais comme il descendait la colline, une tristesse l'envahit et il pensa au fond de son cœur :

«Comment pourrais-je aller en paix et sans chagrin ? Non, je ne pourrai quitter cette ville sans

saigner - to bleed, drain.
éparpiller - to spread, disperse squander
s'éloigner - to withdraw.
une armature - armature, brace stays
attarder - to make late, to delay

que mon âme ne saigne. Longs furent les jours de douleur que j'ai passés dans ses murs, et longues furent mes nuits de solitude ! Et qui peut quitter sans regret sa douleur et sa solitude ?

J'ai éparpillé dans ces rues trop de parcelles de mon esprit. Et trop nombreux sont les enfants de ma nostalgie qui se promènent nus dans ces collines. M'éloigner d'eux me fait mal et me pèse.

Ce n'est pas d'un vêtement que je me débarrasse aujourd'hui : c'est une peau que je déchire de mes propres mains.

Et ce n'est pas une pensée que je laisse derrière moi, mais un cœur mollifié par la faim et la soif.

Et pourtant, je ne puis m'attarder davantage.

La mer qui attire toutes choses à elle m'appelle, et je dois embarquer.

Car rester, quoique les heures brûlent dans la nuit, c'est se glacer, se crystalliser, s'enfermer dans une armature.

J'emporterais volontiers avec moi tout ce qui se trouve ici, mais comment le pourrais-je ?

Une voix ne peut pas emporter la langue et les lèvres qui lui ont donné des ailes. Elle doit trouver le souffle toute seule.

Et c'est seul, sans son nid, que l'aigle volera par devant le soleil. »

En atteignant le pied de la colline, il se tourna

l'aigle - eagle
l'aile - wing.

au loin - in the distance, far off.

la proue - prow, stem, bow

chevaucher - to ride a horse, to be astride overlap

la clairière - clearing glade

veiller - to nurse, look after,

Le Prophète   11

une fois encore vers la mer, et il vit son navire s'approcher du port ; et à sa proue, il aperçut les marins, les hommes de son propre pays.

Et son âme cria vers eux en disant :

« Fils de mon antique mère qui chevauchez l'empire des ondes, combien de fois n'avez-vous pas navigué dans mes rêves ? Et maintenant, vous assistez à mon réveil qui est le plus profond de mes songes.

Maintenant, je suis prêt à partir. Et mon impatience, ses voiles déployées, attend le vent. »

Je ne veux que respirer un dernier souffle dans cet air tranquille, je ne veux que jeter derrière moi un dernier regard aimant.

Et alors, je me tiendrai au milieu de vous, marin entre les marins.

Et vous, vaste océan, mère qui veillez,

Qui, seule, êtes la paix et la liberté du fleuve et de la rivière,

Quand cette rivière aura fait un dernier méandre, quand elle aura lancé un dernier murmure dans cette clairière,

Alors, je viendrai à vous, goutte infinie dans l'étendue salée de l'océan. »

Et tandis qu'il marchait, il vit au loin les hommes et les femmes qui quittaient leurs champs et leurs vignes pour se hâter vers les portes de la cité.

Et il entendit leurs voix crier son nom et s'interpeller de champ en champ pour s'annoncer mutuellement l'arrivée du navire.

Et il se dit à lui-même :

« Le jour du départ sera-t-il celui du rassemblement ?

Et dira-t-on que mon crépuscule était en vérité mon aube ?

Et que pourrais-je donner à celui qui a abandonné sa charrue au milieu d'un sillon, ou à celui qui a arrêté la roue de son pressoir ?

Mon cœur deviendra-t-il un arbre lourd de fruits que je pourrai récolter pour les leur distribuer ?

Mon désir coulera-t-il comme une fontaine pour que je puisse en remplir les coupes ?

Suis-je une harpe que la main du Tout-Puissant puisse faire vibrer, ou une flûte que son souffle puisse traverser ?

J'ai recherché les silences, et quels trésors y ai-je trouvés que je puisse leur distribuer avec confiance ?

Si le jour de ma moisson est arrivé, dans quels champs ai-je semé mes graines et dans quelles saisons dont le souvenir s'est évanoui ?

Si ceci doit être l'heure de lever ma lanterne, ce n'est pas ma flamme qui y brûlera.

Je lève ma lanterne, mais elle est vide et sombre.
Et le gardien de la nuit la remplira d'huile et il
l'allumera. »

Il dit tout cela en paroles. Mais il conserva de
nombreuses choses dans le cœur, sans les dire. Car
il était incapable d'exprimer son plus profond
secret.

Et lorsqu'il pénétra dans la ville, le peuple vint à
sa rencontre, et ils crièrent vers lui comme s'ils
n'étaient qu'une seule voix.
Et les anciens de la ville s'avancèrent et dirent :
« Ne t'éloigne pas de nous.
Tu as été l'éclat de midi dans notre crépuscule, et
ta jeunesse nous a apporté de quoi rêver.
Tu n'es pas un étranger parmi nous, ni un hôte,
mais notre fils et notre Bien-Aimé.
Ne permets pas que nos yeux soient privés de ton
visage. »

Et les prêtres et les prêtresses lui dirent :
« Ne permets pas aux vagues de la mer de nous
séparer, ni que les années que tu as passées parmi
nous ne soient plus qu'un souvenir.
Tu as marché comme un esprit au milieu de nous,
et ton ombre a été la lumière de nos visages.
Nous t'avons beaucoup aimé. Mais notre amour

ne s'exprimait pas par des mots, et il était couvert de voiles.

Mais maintenant, il crie vers toi avec force et il va se dresser pour se révéler à toi.

Il en fut toujours ainsi : l'amour ne connaît sa véritable profondeur qu'au moment de la séparation. »

Et d'autres aussi vinrent également le supplier. Mais il ne leur répondit pas. Il pencha seulement la tête. Et ceux qui étaient près de lui virent ses larmes couler sur sa poitrine.

Et il s'avança avec le peuple vers la grande place qui s'étendait devant le temple.

Et là, ils virent sortir du sanctuaire une femme qui s'appelait Almitra. Et c'était une voyante.[3]

Et il la regarda avec une extrême tendresse, car elle avait été la première à le chercher et à croire en lui alors qu'il n'était dans leur ville que depuis un jour.

Et elle le salua en disant :

« Prophète de Dieu, à la recherche de l'infini, tu as longtemps scruté[4] l'horizon pour apercevoir ton navire.

Et maintenant ton navire est arrivé, et il faut absolument que tu partes.

« Tu éprouves un profond désir pour le pays de

tes souvenirs et pour la demeure de tes plus grandes aspirations ; et notre amour ne t'enchaîne pas, nos besoins ne te retiennent pas.

Cependant, avant que tu ne nous quittes, nous te demandons de nous parler et de nous communiquer ta vérité.

«Et nous la transmettrons à nos enfants, qui la transmettront à leurs enfants, et elle ne périra jamais.

Dans ta solitude, tu as veillé sur nos jours, et dans tes veilles, tu as écouté les pleurs et les rires de notre sommeil.

C'est pourquoi, révèle-nous maintenant à nous-mêmes, et dis-nous tout ce que tu sais sur ce qui se passe entre la naissance et la mort.»

Et il répondit :

«Peuple d'Orphalèse, de quoi puis-je vous parler sinon de ce qui s'agite au plus profond de vos âmes ?»

Almitra dit, « alors parle-nous de l'Amour ».

Et il leva la tête et regarda le peuple. Et un grand silence tomba sur eux. Alors, il dit d'une voix forte :

« Lorsque l'amour vous fait signe, suivez-le,
Quoique ses voies soient rudes et escarpées.[1]
Et lorsque ses ailes vous enveloppent, cédez-lui,
Quoique l'épée cachée parmi ses plumes puisse vous blesser.
Et lorsqu'il vous parle, croyez en lui,
Quoique sa voix puisse éparpiller[2] vos rêves comme le vent du nord saccage[3] le jardin.

Car même s'il vous couronne, l'amour vous crucifiera. Même s'il vous aide à grandir, il vous élaguera.[4]

Même s'il s'élève à votre hauteur et s'il caresse les plus tendres de vos branches qui frémissent[5] sous le soleil,

Il s'enfoncera jusqu'à vos racines et secouera leur emprise dans la terre.

Comme des gerbes de blé, il vous récolte en lui-même.
Il vous bat pour vous dénuder.
Il vous tamise pour vous délivrer de votre son.
Il vous moud jusqu'à ce que vous blanchissiez.
Il vous pétrit pour vous assouplir.
Et puis, il vous soumet à son feu sacré, pour que vous deveniez le pain sacré du festin sacré de Dieu.

Tout cela, l'amour vous le fera subir pour que vous connaissiez les secrets de votre cœur et que, par cette connaissance, vous deveniez une parcelle du cœur de la Vie.

Mais si, dans votre crainte, vous ne cherchiez de l'amour que sa paix et son plaisir,
Alors vous feriez mieux de couvrir votre nudité et de vous écarter de son aire de battage.
Pour gagner le monde sans raisons où vous rirez sans déployer tout votre rire, où vous pleurerez sans répandre toutes vos larmes.

L'amour ne donne rien que lui-même et ne prend rien que de lui-même.

4. la louange - praise

Le Prophète   19

L'amour ne possède pas, et ne veut pas être
possédé,
Car l'amour se suffit à lui-même.
Lorsque vous aimez, vous ne devez pas dire :
« Dieu est dans mon cœur », mais plutôt : « Je suis
dans le cœur de Dieu. »
Et ne croyez pas que vous pourrez diriger le cours
de l'amour, car c'est l'amour, s'il croit que vous en
valez la peine, qui dirigera votre cours.
L'amour n'a d'autre désir que de s'accomplir
lui-même.
Mais si vous aimez et si vous devez éprouver
des désirs,
faites que les vôtres soient ceux-ci :
Fondre et devenir un ruisseau courant qui chante
sa mélodie dans la nuit.
Connaître la douleur d'une trop grande tendresse.
Être blessé par votre propre connaissance de
l'amour,
Et vous laisser joyeusement saigner. to bleed to draw
Vous réveiller le matin avec un cœur ailé et rendre grâces pour une nouvelle journée d'amour.
Vous reposer le midi et méditer sur l'extaxe de ecstacy
l'amour.
Rentrer le soir chez vous avec reconnaissance.
Et puis enfin vous endormir avec une prière
pour l'être
aimé qui vit en votre cœur et avec, sur vos lèvres,
un chant de louanges. »

Alors, Almitra parla une nouvelle fois et dit :
« Et le mariage, maître ? »

Et il répondit en disant :

« Vous êtes nés ensemble, et vous serez ensemble pour toujours.

Vous serez ensemble quand les blanches ailes de la mort disperseront vos jours.

Oui, vous serez ensemble, même dans la silencieuse mémoire de Dieu.

Mais laissez un vide dans votre communion,

Et que dansent entre vous les vents des cieux.

Aimez-vous l'un l'autre, mais ne faites pas de votre amour un esclavage.

Qu'il soit plutôt une mer mouvante entre les rives de vos âmes.

Emplissez[1] mutuellement vos coupes,[2] mais ne buvez pas dans la même.

Donnez-nous à chacun votre pain, mais ne mordez pas dans la même miche.[3]

1. emplir - to fill
2. dish goblet
3. ~~cotb loaff,~~ la
   celeb loaf

Chantez et dansez ensemble, soyez joyeux, mais faites que chacun de vous puisse demeurer seul,

De même que les cordes du luth 'sont seules, même lorsqu'elles vibrent de la même musique.

Donnez vos cœurs, mais pas à la garde de l'autre.

Car seule la main de la Vie peut contenir vos cœurs.

Et demeurez ensemble, mais sans trop vous approcher de l'autre :

Car les piliers du temple sont séparés,

Et ni le chêne ni le cyprès ne poussent à l'ombre l'un de l'autre.

1 le luth - lute

Et une femme qui tenait un bébé contre sa poitrine dit : « Parle-nous des enfants ».

Et il dit :

« Vos enfants ne sont pas vos enfants.

Ils sont les fils et les filles de l'aspiration qu'a la Vie pour elle-même.

Ils naissent par vous, mais pas de vous,

Et quoiqu'ils font route avec vous, ils ne vous appartiennent pas.

Vous pouvez leur donner toute votre tendresse, mais pas vos pensées.

Car ils ont leurs pensées distinctes.

Vous pouvez embrasser leurs corps, mais pas leurs âmes,

Car leurs âmes s'installent dans la maison de demain, celle que vous ne pouvez allez voir, même dans vos rêves.

Vous pouvez tenter d'être comme eux, mais ne cherchez pas à les rendre semblables à vous.

Car la vie ne recule pas, et elle ne flâne pas avec la veille.

Vous êtes les arcs qui lancez vos enfants comme des flèches vivantes.

L'archer voit la cible dans la perspective de l'infini, et il vous bande[1] de toute Sa puissance pour que[2] ses flèches aillent rapidement, à perte de vue.

Et lorsque la main de l'archer vous bande, que ce soit pour votre plus grande joie.

Car même s'il adore la flèche qui fend l'air il aime aussi l'arc[3] qui demeure.

[1] bander – to bandage, to strain taut(en), arc – to bend
[3] l'arc nm – bow, arc, arch
[2] pour que – so that, in order that (subj)

à perte de vue – as far as the eye can see interminably –

Alors un homme riche dit : «Parle-nous de l'aumône».

Et il répondit :

«Vous ne donnez que peu lorsque vous donnez ce qui vous appartient.

Ce n'est qu'en _vous donnant_ vous-même que vous donnez vraiment.

Car que sont vos possessions sinon des choses que vous gardez et que vous conservez de peur d'en manquer demain ?

Et demain, qu'apportera demain au chien trop prudent, qui enterre ses os dans le sable où aucune trace ne subsistera lorsqu'il suivra les _pélerins_ vers la cité sainte ?

Et qu'est-ce que la crainte du besoin _sinon_ le besoin lui-même ?

2. ✝ étancher – to stanch, to `le puits -pit well`
render water tight to quench ⁀ `shaft`
s'étancher ⅋ be stanched
slaked, rendered water tight quenched

La crainte de la soif lorsque votre puits est plein
n'est-elle pas une soif qui ne peut s'étancher ?

3
`le gré -will`
`wish, pleasure`
`consent.`

Il y a ceux qui donnent peu de tout ce qu'ils
possèdent. Et ils le font pour qu'on leur en sache
gré, et leur désir caché rend leurs bonnes œuvres il-
lusoires.

Et il y a ceux qui possèdent peu et qui donnent
tout.

✝ `le coffret -`
`coffers -`
`chest !`
`casket !`

Il y a ceux qui croient dans la vie et dans la bonté
de la vie : leur coffret n'est jamais vide.

Il y a ceux qui donnent avec joie, et cette joie est
leur récompense.

Il y a ceux qui donnent avec douleur, et cette
douleur est leur conversion.

5. `conversion - change, transformation`
`conversion !`

Et il y a ceux qui donnent, et qui ne connaissent
pas la douleur en donnant, et qui ne cherchent pas
la joie, et qui ne donnent pas en étant conscients de
leur bonté.

Ils donnent comme, dans la vallée que voilà, le
myrte répand son arôme dans l'air.

C'est par les mains de ceux-là que Dieu parle, et
c'est à travers leurs yeux qu'il sourit à la terre.

C'est bien de donner lorsqu'on vous le demande,

mais c'est mieux de donner par délicatesse, sans qu'on ne vous demande rien.

Et pour celui qui ouvre les mains, la recherche de celui qui recevra ses dons est une plus grande joie que le fait de donner.

Est-il quelque chose que vous voudriez refuser ?

Tout ce que vous possédez sera concédé quelque jour.

C'est pourquoi, donnez maintenant, pour que la saison des dons soit la vôtre et non celle de vos héritiers.

Souvent vous dites : « Je veux donner, mais seulement à ceux qui le méritent. »

Les arbres de votre verger ne parlent pas ainsi, ni les troupeaux de votre pâturage.

Ils donnent pour vivre, car garder leurs biens pour eux, c'est périr.

Celui qui mérite de recevoir ses jours et ses nuits mérite sûrement de recevoir de vous tout le reste.

Et celui qui a mérité de boire à l'océan de la vie mérite de remplir sa coupe à votre petit ruisseau.

Et quel mérite sera plus grand que celui qui tient dans l'audace et la fidélité, voire même dans la bienveillance de recevoir ?

Et qui êtes-vous pour que les hommes se

déchirent la poitrine et dévoilent leur fierté afin que vous puissiez contempler leur valeur dans sa nudité et leur fierté sans qu'ils en soient décontenancés ?

Assurez-vous d'abord que vous méritez d'être le donateur et l'instrument du don.

Car, en vérité, c'est la vie qui donne à la vie. Alors que vous, qui croyez donner, n'êtes rien qu'un témoin.

Et vous qui recevez — et vous recevez tous — vous n'assumez pas le poids de la gratitude de peur de placer le joug sur vos épaules et sur celles de celui qui donne.

Avec le donateur, élevez-vous sur ses dons comme sur des ailes.

Car si vous pensez trop à votre dette, vous douteriez de sa générosité qui a pour mère la terre prévenante et Dieu pour père.

Alors un vieil homme, tenancier d'une auberge,
dit : « Parle-nous de la nourriture et de la boisson ».

Et il dit :

« Puissiez-vous vivre du parfum de la terre et,
comme une plante terrestre, être nourri de lumière.

Mais puisque vous devez tuer pour manger, et
dérober au nouveau-né le lait de sa mère pour étancher votre soif, faites-en un acte d'adoration.

Et que votre table soit un autel sur lequel vous
sacrifiez les purs et les innocents de la forêt et de la
plaine au profit de ce qui est encore plus pur et plus
innocent chez l'homme.

Lorsque vous tuez un animal, dites-lui dans votre
cœur :

« Le même pouvoir qui t'abat m'abattera aussi,
et moi aussi, je serai consommé.

Car la loi qui t'a livré à moi me livrera à une main plus puissante.

Ton sang et mon sang ne sont que la sève qui nourrit l'arbre du ciel. »

Et lorsque vous plantez vos dents dans une pomme, dites-lui dans votre cœur :

« Tes semences vivront dans mon corps,

Et les bourgeons de tes lendemains fleuriront dans mon cœur,

Et ton parfum sera mon souffle,

Et nous nous réjouirons ensemble à travers toutes les saisons. »

Et à l'automne, lorsque vous récolterez les raisins de vos vignes pour le pressoir, dites dans votre cœur :

« Moi aussi, je suis une vigne, et mon fruit sera cueilli pour le pressoir,

Et comme le vin nouveau, je serai conservé dans des récipients éternels. »

Et l'hiver, lorsque vous tirerez le vin, qu'il y ait dans votre cœur une chanson pour chaque coupe.

Et qu'il y ait dans cette chanson le souvenir des jours d'automne, des vignes et du pressoir.

Alors un laboureur dit : « Parle-nous du travail ».

Et il répondit en disant :

« Vous travaillez pour pouvoir marcher au rythme de la terre et de l'âme[1] de la terre.

Car être oisif[2], c'est être un étranger au cœur des saisons et quitter la procession de la vie qui s'avance vers l'infini dans sa majesté et sa fière soumission.

Lorsque vous travaillez, vous êtes comme une flûte dans le cœur de laquelle le murmure[3] des heures se fait musique.

Lequel d'entre vous voudrait être un roseau[4] muet et silencieux alors que tout autour de vous chante à l'unisson ?

On vous a toujours dit que le travail était une malédiction[5] et le labeur une infortune.[6]

Mais je vous le dis, lorsque vous travaillez, vous accomplissez une partie du plus vieux rêve de la terre qui vous a été assignée lorsque ce rêve est né,

Et en vous consacrant au labeur, vous démontrez en vérité que vous aimez la vie,

Et aimer la vie par le travail, c'est participer à son plus profond secret.

Mais si vous, dans votre douleur, vous appelez la naissance une affliction et le poids de la chair une malédiction qui vous est gravée sur le front, alors je vous réponds que seule la sueur peut effacer ce qui y est écrit.

On vous a dit aussi que la vie est obscurité et dans votre lassitude, vous êtes l'écho de ce que disent ceux qui sont las.

Et je dis qu'en effet, la vie est obscurité sauf lorsqu'il y a impulsion,

Et que toute impulsion est aveugle, sauf lorsqu'il y a connaissance,

Et que toute connaissance est vaine, sauf s'il y a travail,

Et que tout travail est creux, sauf s'il y a amour.

Et lorsque vous travaillez avec amour, vous vous reliez à vous-mêmes, aux autres et à Dieu.

Et qu'est-ce que travailler avec amour ?

C'est tisser l'étoffe avec des fils tirés de votre cœur, comme si ce tissu devait être porté par votre amoureux.

C'est construire une maison avec enivrement, comme si votre amoureux devait y vivre.

C'est semer le grain avec tendresse et récolter la moisson avec joie, comme si votre amoureux devait s'en nourrir.

C'est apporter à tout ce que vous façonnez le souffle de votre propre esprit,

Et savoir que les morts bienheureux se tiennent près de vous et vous observent.

Souvent je vous ai entendu dire, comme si vous parliez dans votre sommeil : « Celui qui travaille le marbre et qui découvre dans la pierre la forme de sa propre âme est plus noble que celui qui laboure le sol.

Et celui qui s'empare de l'arc-en-ciel pour le déposer sur une toile à l'image de l'homme est plus que celui qui fabrique les sandales pour nos pieds ».

Et je dis, non dans le sommeil, mais dans la pleine conscience de midi, que le vent ne parle pas plus tendrement aux chênes géants qu'au plus petit de tous les brins d'herbe.

Et seul est grand celui qui change la voix du vent
en une chanson rendue plus tendre par son propre
amour.

Le travail, c'est une passion.

Et si vous ne pouvez pas travailler par goût, mais
seulement avec dégoût, il vaut mieux abandonner
votre travail, vous asseoir à la porte du temple et
accepter l'aumône de ceux qui travaillent avec joie.

Parce que si vous cuisez le pain avec insouciance,
vous cuisez un pain amer qui n'apaise qu'à moitié
la faim de l'homme.

Et si vous grognez en pressant les raisins, votre
grogne distillera son poison dans le vin.

Et si vous chantez comme les anges sans aimer
votre chant, vous fermerez les oreilles de l'homme
aux voix du jour et aux voix de la nuit.

Alors une femme dit : « Parle-nous des joies et des peines ».

Et il répondit :

« Votre joie, c'est votre tristesse démasquée.

Et le même puits d'où montent vos rires a souvent été empli de vos larmes.

Et comment en serait-il autrement ?

Plus la tristesse creuse en votre être, plus il pourra contenir de joie.

La coupe qui contient votre vin n'est-elle pas celle-là même qui fut cuite au feu dans le four du potier ?

Et le luth qui apaise votre esprit n'est-il pas fait de ce même bois qui fut creusé par le couteau ?

Lorsque vous êtes joyeux, contemplez les

tréfonds de votre cœur : vous découvrirez que ce
qui vous apporte la joie, c'est ce qui vous a donné
de la tristesse.

Et lorsque vous serez triste, regardez à nouveau
dans votre cœur, et vous verrez en vérité que vous
pleurez sur ce qui fut vos délices.

Certains d'entre vous disent : «Au contraire, la
tristesse est plus grande».

Mais je vous le dis, elles sont intimement liées.

Elles arrivent ensemble, et lorsque l'une d'elles
vient s'asseoir seule près de vous à votre guéridon,
souvenez-vous que l'autre s'est endormie sur votre
lit.

En vérité, vous êtes comme les plateaux d'une
balance entre vos peines et vos joies.

Ce n'est que vides que vous êtes immobiles et
équilibrés.

Lorsque le gardien du trésor vous soulève pour
peser son or et son argent, il faut nécessairement
que vos joies ou vos peines montent ou descendent.

Alors, un maçon s'avança et dit : « Parle-nous de la maison ».

Et il répondit en disant :

« Bâtissez en imagination un abri dans le désert avant de construire une maison dans l'enceinte de la ville.

Car de même que vous avez des retours chez vous au crépuscule, de même en est-il pour l'errant qui est en vous, toujours seul et lointain.

Votre maison est votre stature agrandie.

L'abri grandit sous le soleil et dort dans le calme de la nuit. Et il n'est pas sans rêves. Votre maison ne rêve-t-elle pas ? Et en rêvant, ne quitte-t-elle pas la ville pour les bois ou les collines ?

Si je pouvais rassembler vos maisons dans ma main, je les répandrais comme un semeur dans les forêts et dans les pâturages.

1. le Vignoble - vineyards
2. élan - move, elk, run up, aspire, spirit
3.

Si les vallées étaient vos rues et les verts sentiers vos allées, vous pourriez vous chercher les uns les autres dans les vignobles et revenir avec le parfum de la terre sur vos vêtements.

Mais ces événements viendront plus tard.

Dans leur crainte, vos ancêtres vous ont groupés trop près les uns des autres. Et cette crainte va se poursuivre encore un peu. Pendant un certain temps encore, les murs de la ville vont séparer vos foyers de vos champs.

Et dites-moi, peuple d'Orpholèse, qu'avez-vous dans vos maisons ? Et que gardez-vous derrière vos portes closes ?

Possédez-vous la paix, ce tranquille élan qui révèle votre pouvoir ?

Avez-vous des souvenirs, ces arches brillantes qui soutiennent les sommes de l'intelligence ?

Avez-vous la beauté qui conduit le cœur, des objets façonnés dans le bois et la pierre jusqu'à la sainte montagne ?

Dites-moi, avez-vous tout cela dans vos maisons ?

Ou n'avez-vous que le confort et le goût du confort, cette chose furtive qui entre chez vous en invité pour devenir bientôt votre hôte et puis votre maître ?

Oui, et il devient votre dompteur, et armé d'un croc et d'un fouet, il fait des marionnettes de vos plus profonds espoirs.

Ses mains sont de velours, mais son cœur est d'acier.

Il vous incite à dormir pour pouvoir se tenir près de votre lit et se gausser de la dignité de la chair.

Il se moque de votre bon sens et l'enveloppe de coton comme un vase fragile.

En vérité, le goût du confort assassine les passions de l'âme et puis, il suit en ricanant le cortège funèbre.

Mais vous, enfants de l'infini, vous qui êtes impatients dans le repos, vous ne vous laisserez ni piéger ni dompter.

Votre maison ne sera pas une ancre, mais un mât.

Ce ne sera pas une pellicule brillante qui recouvre une blessure, mais une paupière qui protège l'œil.

Vous ne replierez pas vos ailes pour pouvoir franchir les portes, vous ne baisserez pas la tête pour ne pas heurter le plafond, vous n'éviterez pas de respirer par crainte de voir les murs se fendre et s'abattre.

Vous n'allez pas vous abriter dans les tombes creusées par les morts pour les vivants.

Et quoiqu'elle soit faite d'un luxe opulent et de splendeur, votre maison ne va pas conserver votre secret ni abriter vos aspirations.

Car ce qui est illimité en vous habite la demeure du ciel dont les portes sont la brume du matin, et dont les fenêtres sont les chants et les silences de la nuit.

Et le tisserand dit : « Parlez-nous des vêtements ».

Et il répondit :

« Vos vêtements cachent une grande partie de votre beauté, mais cependant, ils ne cachent pas ce qui est laid.

Et quoique vous cherchiez dans vos vêtements l'affranchissement de votre intimité, vous pouvez découvrir qu'ils sont un harnais et une entrave.

Puissiez-vous affronter le soleil et le vent avec plus de chair et moins d'habillement,

Car le souffle de la vie est dans les rayons du soleil et la main de la vie est dans le vent.

Certains d'entre vous disent : « C'est le vent du nord qui a tissé les vêtements que nous portons. »

Et je dis : « Oui, c'était le vent du nord,

Mais la honte était mon métier et ses fibres étaient la mollesse des nerfs.

Et lorsque son travail fut accompli, il éclata de rire dans la forêt. »

N'oubliez pas que la pudeur est un bouclier contre les yeux impurs.

Et lorsqu'il n'y aura plus d'impurs, que sera la pudeur sinon une entrave et une souillure de l'esprit ?

Et n'oubliez pas que la terre se réjouit de sentir vos pieds nus et que le vent aspire à jouer avec vos cheveux. »

E t un marchand dit : « Parle-nous de la vente et de l'achat. »

Et il répondit en disant :
« La terre vous offre ses fruits, et vous n'en manquerez pas si vous savez comment remplir vos mains.

C'est en échangeant les dons de la terre que vous trouverez l'abondance et la satisfaction.

Cependant, si l'échange ne se fait pas avec amour et dans une bienveillante justice, il poussera les uns à l'avidité et affamera les autres.

Lorsque vous qui peinez sur la mer, dans les champs et vignes rencontrez au marché les tisserands et les potiers et les marchands d'épices,

Invoquez le maître-esprit de la terre pour qu'il vienne parmi vous, qu'il sanctifie les balances et qu'il pèse chaque valeur à sa valeur.

Et ne souffrez pas que ceux qui ont les mains stériles prennent part à vos transactions et vendent leurs belles paroles contre votre labeur.

À de tels hommes, vous devez dire :

« Venez avec nous dans les champs, ou suivez nos frères sur la mer et jetez votre filet,

Car la terre et la mer vous seront profitables comme à nous. »

Et si vous voyez arriver les chanteurs, les danseurs et les joueurs de flûte, achetez-leur aussi une partie de leurs œuvres.

Car eux aussi cueillent les fruits et l'encens, et ce qu'ils apportent, quoique fait de rêves, est l'habillement et la nourriture de votre âme.

Et avant de quitter le marché, veillez à ce que personne ne reparte les mains vides.

Car le maître-esprit de la terre ne dormira pas en paix sur les ailes du vent tant que les besoins du dernier d'entre vous n'auront pas été satisfaits.

Alors, l'un des juges de la ville s'avança et dit :
« Parle-nous du crime et du châtiment. »

Et il répondit en disant :

« C'est lorsque votre esprit s'égare sur les ailes du
vent, quand vous êtes seuls et inattentifs, que vous
faites tort aux autres et à vous-mêmes.

Et pour le mal que vous aurez commis, vous
frapperez à la porte des bienheureux et vous devrez
attendre un peu avant que l'on s'occupe de vous.

Votre moi divin est comme l'océan ;

Il demeurera immaculé pour toujours,

Et comme l'éther, il ne soulève que ceux qui sont
ailés.

Votre moi divin est aussi comme le soleil.

Il ne connait pas les galeries de la taupe et ne
cherche pas les trous du serpent.

Mais votre moi divin ne demeure pas seul dans votre être.

Une grande partie de vous est toujours homme, mais il y a beaucoup en vous qui ne l'est pas,

Et qui n'est qu'un pygmée sans forme qui s'avance assoupi dans la brume à la recherche de son propre réveil.

Et maintenant, je parlerai de l'homme qui est en vous.

Car c'est lui, et non votre moi divin, et non le pygmée dans la brume qui connaît le crime et châtiment du crime.

Bien des fois, je vous ai écouté parler de celui qui commet une faute comme s'il n'était pas l'un de vous, mais un étranger pour vous et un intrus dans votre monde.

Mais je dis que comme le saint et le juste ne peuvent dépasser ce qu'il y a de plus élevé en chacun de vous,

Ainsi le méchant et le faible ne peuvent tomber plus bas que ce qu'il y a de plus bas en vous.

Et de même qu'une seule feuille ne jaunit pas sans le silencieux assentiment de tout l'arbre,

De même le malfaiteur ne peut accomplir le mal sans la volonté cachée de vous tous.

Comme une procession, vous marchez ensemble vers votre moi divin.

Vous êtes la route et les pélerins.

Et lorsque l'un d'entre vous tombe, il tombe pour ceux qui sont derrière lui et les met en garde contre la pierre qui dépasse.

Oui, et il tombe aussi pour ceux qui le précèdent : ils sont plus rapides et ils ont le pied plus sûr, mais ils n'ont pas retiré la pierre.

Et je dirai encore ceci, quoique le mot puisse peser lourd dans vos cœurs :

La victime n'est pas sans responsabilité dans son propre meurtre,

Et le volé n'est pas sans reproche pour avoir été volé.

Le juste n'est pas innocent des actes du méchant.

Et celui qui a les mains propres n'est pas innocent des actes du criminel.

Oui, le coupable est souvent la victime de celui qui a subi le préjudice.

Et plus souvent encore, le condamné porte le fardeau des innocents et de ceux qui sont sans reproche.

Vous ne pouvez pas séparer le juste de l'injuste et le bon du méchant,

Car ils se dressent ensemble à la face du soleil exactement comme sont tissés ensemble le fil noir et le fil blanc.

Et lorsque le fil noir se brise, le tisserand examinera tout le tissu, et aussi le métier.

Si l'un d'entre vous veut citer en jugement la femme infidèle,

Qu'il pèse aussi dans les plateaux de sa balance le cœur du mari, et qu'il mesure son âme à sa mesure.

Et que celui qui veut fouetter l'offenseur examine aussi l'esprit de l'offensé.

Et si l'un de vous veut punir au nom de la droiture et porter la cognée dans l'arbre du mal, qu'il commence par regarder ses racines.

Et en vérité, il trouvera les racines du bon et du mauvais, de celui qui porte des fruits et de celui qui n'en porte pas, inextricablement mêlées dans le cœur silencieux de la terre.

Et vous, les juges qui voulez être justes,

Quel jugement prononcerez-vous contre celui qui, honnête dans sa chair, n'est qu'un voleur en esprit ?

Quel châtiment infligerez-vous à celui qui tue dans la chair et qui est lui-même tué dans l'esprit ?

Et comment poursuivrez-vous celui qui est un fourbe et un oppresseur dans ses actes,

Mais qui est également lésé et outragé ?

Et comment punirez-vous ceux dont les remords sont déjà plus grands que leurs méfaits ?

Le remords n'est-il pas la justice administrée par cette même loi que vous voulez servir à toute force ?

Et cependant, vous ne pouvez imposer le remords à l'innocent ni en débarrasser le cœur du coupable.

Il viendra dans la nuit sans en avoir été prié afin que les hommes s'éveillent et regardent en eux-mêmes.

Et vous qui voudriez comprendre tous les faits dans leur pleine lumière ?

Alors seulement vous saurez que celui qui est debout et que celui qui est tombé ne sont qu'un seul homme qui se tient dans le crépuscule entre la nuit de son moi-pygmée et le jour de son moi-divin,

Et que la pierre angulaire du temple n'est pas plus importante que la plus modeste pierre de ses fondations.

Alors, un avocat dit : «Mais qu'en est-il de nos lois, maître ?»

Et il répondit :

«Vous prenez plaisir à établir des lois,

Mais vous prenez plus de plaisir encore à les violer,

Comme des enfants qui jouent au bord de l'océan à bâtir avec entêtement des châteaux de sable et qui les détruisent ensuite avec des rires.

Mais tandis que vous bâtissez vos châteaux de sable, l'océan apporte toujours plus de sable sur le rivage,

Et lorsque vous les détruisez, l'océan rit avec vous.

En vérité, l'océan rit toujours avec les innocents.

Mais qu'en est-il de ceux pour qui la vie n'est pas

un océan, et pour qui les lois de l'homme ne sont
pas des châteaux de sable,

Mais pour qui la vie est un roc et la loi un ciseau
avec lequel ils le tailleront à leur propre image ?

Qu'en est-il de l'infirme qui abhorre les
danseurs ?

Qu'en est-il du bœuf qui adore son joug et qui
estime que l'élan et le daim dans la forêt sont des
êtres errants et vagabonds ?

Qu'en est-il du vieux serpent qui ne peut se
séparer de sa peau et qui traite les autres de nus et
de dévergondés ?

Et de celui qui se présente tôt au festin de noces
et qui, lorsqu'il a trop mangé et qu'il est las, s'en va
en disant que tous les festins sont un péché et tous
les festoyeurs des hors-la-loi ?

Que dirai-je de tous ceux-là, sinon qu'ils se tiennent aussi dans la lumière du soleil, mais en lui
tournant le dos ?

Ils ne voient que leurs ombres, et leurs ombres
sont leurs lois.

Et qu'est le soleil pour eux, sinon celui qui jette
des ombres ?

Et qu'est-ce que reconnaître les lois, sinon se
pencher pour tracer leurs ombres sur la terre ?

Mais vous qui marchez face au soleil, quelles silhouettes dessinées sur le sol peuvent vous retenir ?

Vous qui voyagez avec le vent, quelle girouette peut diriger votre route ?

Quelle loi humaine vous liera si vous ne brisez votre joug sur aucune porte de prison ?

Quelle loi craindrez-vous si vous dansez sans trébucher contre les chaînes des hommes ?

Et qui va vous citer en jugement si vous déchirez vos vêtements sans les abandonner sur aucun des chemins de l'homme ?

Peuple d'Orphalèse, vous pouvez assourdir le tambour, vous pouvez détendre les cordes de la lyre, mais qui ordonnera à l'alouette de ne pas chanter ?

Et un orateur dit : « Parle-nous de la liberté ».

Et il répondit :

« À la porte de votre cité, et au coin de votre feu, je vous ai vus vous prosterner et adorer votre propre liberté,

Comme des esclaves qui s'humilient devant un tyran et qui le louent quoiqu'il les passe au fil de l'épée.

Oui, dans les jardins du temple et à l'ombre des murs de la forteresse, j'ai vu les plus libres d'entre vous porter leur liberté comme un joug et une paire de menottes.

Et mon cœur a saigné au dedans de moi ; car vous ne serez libres que lorsque le désir même de rechercher la liberté deviendra votre fardeau, et lorsque vous cesserez de parler de liberté comme d'un but et d'un accomplissement.

Vous serez libres en vérité non pas lorsque vos

jours seront sans souci, ni vos nuits sans désir et sans peine,

Mais plutôt lorsque ces choses encadreront votre vie et que vous vous dresserez au-dessus d'elles, nus et sans entraves.

Et comment surmonterez-vous les angoisses qui hantent vos jours et vos nuits, si vous ne pouvez briser les chaînes, qu'au début de votre perception, vous avez fixées au centre de votre esprit.

En vérité, ce que vous appelez liberté est la plus forte de ces chaînes, quoique ses maillons brillent dans le soleil et vous aveuglent.

Et que disperserez-vous pour être libres, sinon des fragments de votre propre moi ?

Si c'est une loi injuste que vous voulez abolir, cette loi, vous l'avez écrite de votre propre main sur votre propre front.

Vous ne pourrez l'effacer en brûlant vos livres de droit, ni en lavant les fronts de vos juges, même si vous y versiez tout l'océan.

Et si c'est un despote que vous voulez détrôner, veillez d'abord à détruire dans votre cœur le trône que vous lui avez érigé.

Car comment un tyran peut-il gouverner des hommes libres et fiers s'il n'existe pas de tyrannie dans leur propre liberté ni de honte dans leur propre fierté ?

Et si c'est une inquiétude que vous voulez chasser, celle-ci ne vous a pas été imposée : c'est vous qui l'avez choisie.

Si c'est une crainte que vous voulez dissiper, cette crainte est dans votre propre cœur et non dans la main de celui que vous craignez.

En vérité, toutes choses se meuvent en vous dans une demi étreinte constante, celles que vous désirez et celles que vous craignez, celles qui vous répugnent et celles que vous chérissez, celles que vous poursuivez et celles auxquelles vous voulez échapper.

Ces choses se meuvent en vous comme des lumières et des ombres par paires enlacées.

Et lorsque l'ombre se dissipe et disparait, la lumière qui s'attarde devient l'ombre d'une autre lumière.

Et ainsi, lorsque votre liberté perd ses entraves, elle devient elle-même l'entrave d'une plus grande liberté.

Et la prêtresse fit entendre à nouveau sa voix et dit : « Parle-nous de la raison et de la passion ».

Et il répondit en disant :

« Votre âme est souvent un champ de bataille sur lequel votre raison et votre jugement guerroyent contre votre convoitise et vos désirs.

Que ne suis-je le pacificateur de votre âme pour pouvoir transformer en unité et en harmonie la discorde et la rivalité de vos éléments !

Mais comment le pourrais-je si vous n'êtes pas vous-mêmes les pacificateurs, non, bien plus, les vrais amis de tous vos éléments ?

Votre raison et votre désir sont le gouvernail et les voiles de votre âme navigante.

Si vos voiles se déchirent ou si votre gouvernail se brise, vous serez secoués, vous irez à la dérive, ou vous demeurerez immobiles au milieu de l'océan.

Car la raison, lorsqu'elle dirige seule, n'est qu'une force limitée ; et la convoitise, quand on ne la contrôle pas, est une flamme qui se consume jusqu'à sa propre destruction.

C'est pourquoi, laissez votre âme exalter votre raison jusqu'aux sommets du désir, pour qu'elle puisse chanter ;

Et laissez la diriger votre désir avec raison, pour que votre passion puisse vivre à travers sa résurrection quotidienne et, comme le phénix, renaître de ses cendres.

Je voudrais que vous considériez votre jugement et votre besoin comme vous le feriez pour deux hôtes aimés dans votre demeure.

Vous n'honoreriez certainement pas l'un de vos hôtes plus que l'autre. Car celui qui est moins attentionné envers l'un perdra l'amour et la confiance de tous les deux.

Dans les collines, lorsque vous êtes assis à l'ombre fraîche des blancs peupliers, jouissant de la paix et de la sérénité des champs et des prairies qui s'étendent au loin, laissez votre coeur dire en silence : « Dieu repose dans la raison ».

Et lorsque vient la tempête et que le vent puissant secoue la forêt, lorsque le tonnerre et les éclairs proclament la majesté du ciel, alors, laissez votre coeur dire avec une crainte révérentielle : « Dieu s'agite dans la passion.

Et puisque vous êtes un souffle dans le monde de Dieu, et une feuille dans la forêt de Dieu, vous devriez, vous aussi, vous reposer dans la raison et vous agiter dans la passion ».

Et une femme dit : « Parle-nous de la douleur ».

Et il dit :

« Votre douleur est la rupture de la coquille qui enferme votre entendement.

Comme le noyau du fruit doit se briser pour que son coeur puisse se trouver au soleil, ainsi vous devez connaître la douleur.

Et si vous permettiez à votre cœur d'admirer les miracles quotidiens de la vie, votre douleur ne vous semblerait pas moins merveilleuse que votre joie ;

Et vous accepteriez les saisons de votre cœur, de même que vous avez toujours accepté les saisons qui se succèdent au-dessus de vos champs.

Et vous méditeriez avec sérénité à travers les hivers de votre chagrin.

La plus grande part de votre douleur, c'est vous qui l'avez choisie.

C'est l'amère potion avec laquelle le médecin qui est en vous guérit votre moi malade.

C'est pourquoi, faites confiance au médecin, et buvez son remède calmement et sans mot dire:

Car sa main, quoique lourde et dure, est guidée par la tendre main de l'Invisible.

Et la coupe qu'il apporte, même si elle brûle vos lèvres, a été façonnée dans l'argile que le Potier a mouillée de Ses propres larmes sacrées.

Et un homme dit : «Parle-nous de la connaissance de soi».

Et il répondit en disant :

«Vos cœurs connaissent dans le silence les secrets des jours et des nuits.

Mais vos oreilles voudraient entendre le son des connaissances de votre œur.

Vous voudriez concevoir avec des mots ce que vous avez toujours connu en pensée.

Vous voudriez toucher de vos doigts le corps nu de vos rêves.

Et c'est très bien ainsi.

La source cachée de votre âme doit jaillir et courir en un léger clapotis vers la mer.

Et le trésor de vos profondeurs infinies doit être révélé à vos propres yeux.

Mais n'ayez pas de balance pour peser votre trésor inconnu,

Et ne fouillez pas les profondeurs de votre connaissance avec un bâton ou avec une sonde.

Car le moi est un océan infini et démesuré.

Ne dites pas : « J'ai trouvé la vérité », mais
plutôt : « J'ai trouvé une vérité ».

Ne dites pas : « J'ai trouvé le chemin de l'âme. »
Dites plutôt : « J'ai rencontré l'âme qui marchait
sur ma route ».

Car l'âme chemine par tous les sentiers.

L'âme ne marche pas en ligne droite, et elle ne
pousse pas comme un roseau.

L'âme se déplie comme un lotus aux pétales innombrables.

Alors un professeur dit : « Parle nous de l'enseignement ».

Et il dit :

« Aucun homme ne peut vous apprendre quelque chose qui ne gise pas déjà dans un demi-sommeil dès l'origine de votre conscience.

Le professeur qui se promène parmi ses disciples à l'ombre du temple ne donne pas une partie de sa sagesse, mais plutôt de sa foi et de son amour.

Et en vérité, s'il est sage, il ne vous invite pas à entrer dans la maison de sa sagesse, mais il vous conduit plutôt sur le seuil de votre propre esprit.

L'astronome peut vous parler de sa compréhension de l'espace, mais il ne peut pas vous la donner.

Le musicien peut vous parler de l'harmonie qui existe dans tout espace, mais il ne peut vous donner l'oreille qui la saisit ni la voix qui lui fait écho.

Et celui qui est versé dans la science des nombres

peut vous parler efficacement des poids et mesures, mais il ne peut vous en donner la science.

Car la vision d'un homme ne prête pas ses ailes à un autre homme.

Et de même que chacun de vous se dresse seul dans la science de Dieu, de même chacun de vous doit demeurer seul dans sa manière de connaître Dieu et de comprendre la terre. »

Et un jeune homme dit : «Parle-nous de l'amitié».

Et il répondit en disant :

«Votre ami, c'est la réponse à vos besoins».

Il est votre champ que vous semez avec amour et que vous moissonnez avec reconnaissance.

Et il est votre table et votre foyer.

Car vous venez à lui avec votre faim, et vous le recherchez pour votre apaisement.

Lorsque votre ami vous dit ce qu'il pense, vous ne craignez pas le «non» de votre esprit, et vous ne retenez pas le «oui».

Et lorsqu'il est silencieux, votre cœur ne cesse pas d'écouter votre cœur.

Car dans l'amitié, sans qu'il soit besoin de mots, toutes les pensées, tous les désirs, toutes les aspirations naissent et se partagent dans une joie inexprimée.

Lorsque vous quittez votre ami, vous n'êtes pas affligé ;

Car ce que vous aimez le plus en lui peut être plus évident en son absence, comme la montagne, pour le grimpeur, se voit mieux depuis la plaine.

Et ne cherchez pas d'autre but dans l'amitié que l'approfondissement de votre esprit.

Car l'amour qui ne cherche qu'à dévoiler son propre mystère n'est pas l'amour, mais un filet que l'on jette. Et on n'y prend que ce qui est sans profit.

Et donnez à votre ami le meilleur de vous-même.

S'il doit connaître le reflux de votre marée, qu'il en connaisse aussi le flux.

Car à quoi sert votre ami si vous ne le recherchez que pour tuer le temps ?

Recherchez-le plutôt pour vivre vos meilleures heures.

Car il lui appartient de répondre à vos besoins, pas de combler votre vide.

Et que dans la douceur de l'amitié, il y ait le rire et le partage des plaisirs.

Car c'est dans la rosée des petites choses que le cœur trouve son matin et qu'il se rafraîchit.

Et un lettré dit : « Parle-nous de la parole ».

Et il répondit en disant :

« Vous parlez quand vous cessez d'être en paix avec vos pensées.

Et quand vous ne pouvez plus habiter dans la solitude de votre cœur, vous vivez entre vos lèvres, et le son est une diversion et un passe-temps.

Et dans une grande partie de vos paroles, la pensée est à moitié assassinée.

Car la pensée est un oiseau de l'espace qui peut sans doute déployer ses ailes dans une cage de mots mais qui ne peut y voler.

Il y a ceux parmi vous qui recherchent les bavards par crainte d'être tous seuls.

Le silence de la solitude révèle à leurs yeux leur moi tout nu, et ils veulent y échapper.

Et il y a ceux qui parlent et qui, sans rien savoir ni prévoir, révèlent une vérité qu'ils ne connaissent pas eux-mêmes.

Et il y a ceux qui ont la vérité en eux, mais qui refusent de la dire en paroles.

Dans le sein de ceux-là, l'esprit habite dans un silence harmonieux.

Lorsque vous rencontrez votre ami sur le bord de la route ou au marché, laissez l'esprit qui est en vous agiter vos lèvres et diriger votre langue.

Laissez la voix qui est en votre voix parler à l'oreille de son oreille,

Car mon âme conservera la vérité de votre cœur, comme on se souvient de la saveur du vin

Lorsqu'on en a oublié la couleur et que l'amphore est disparue.

Et un astronome dit : « Maître, qu'en est-il du temps ? »

Et il répondit :

Vous voudriez mesurer le temps qui n'a pas de mesure et qui est incommensurable.

Vous voudriez adapter votre conduite et même diriger le cours de votre esprit selon les heures et les saisons.

Vous voudriez faire du temps un cours d'eau sur les rives duquel vous iriez vos asseoir pour le regarder s'écouler.

Cependant, ce qui est hors du temps en vous est conscient de l'intemporel de la Vie,

Et sait qu'hier n'est que le souvenir d'aujourd'hui, que demain n'en est que le rêve.

Et que ce qui chante en vous et vous plonge dans la contemplation demeure encore dans les liens de ce premier moment qui a dispersé les étoiles dans l'espace.

Qui d'entre vous ne sent pas que son pouvoir
d'aimer est illimité ?

Et cependant, qui ne sent pas que cet amour,
quoique illimité, est enfermé au centre de son être
et ne se meut pas d'une pensée d'amour à une autre
pensée d'amour, d'un acte d'amour vers un autre
acte d'amour ?

Et le temps n'est-il pas, tout comme l'amour, in-
divisible et immobile ?

Mais si dans vos pensées vous devez mesurer le
temps en saisons, laissez chaque saison entourer
toutes les autres,

Et permettez au jour présent d'embrasser le passé
avec ses souvenirs et le futur avec ses aspirations.

Et l'un des anciens de la ville dit : « Parle-nous du bien et du mal ».

Et il répondit :

« Je peux parler de ce qui est bon en vous, mais pas de ce qui est mauvais.

Car qu'est-ce que le mal sinon le bien torturé par sa propre faim et sa propre soif ?

En vérité, lorsque le bien est affamé, il cherche sa nourriture même dans de sombres grottes, et lorsqu'il a soif, il se désaltère même dans les eaux mortes.

Vous êtes bon quand vous ne faites qu'un avec vous-même.

Cependant, si vous n'êtes pas un avec vous-même, vous n'êtes pas mauvais.

Car une maison divisée n'est pas un antre de voleurs. Ce n'est qu'une maison divisée.

Et un bateau sans gouvernail peut errer sans but

entre des îles périlleuses sans pour autant s'enfoncer.

Vous êtes bon lorsque vous vous efforcez de donner une partie de vous-même.

Cependant, vous n'êtes pas mauvais lorsque vous cherchez à vous assurer un profit.

Car lorsque vous luttez pour le profit, vous n'êtes qu'une racine qui s'accroche à la terre et qui se nourrit à son sein.

Certes, le fruit ne peut pas dire à la racine : «Sois comme moi, mûre et pleine, toujours prête à distribuer ton abondance».

Car pour le fruit, donner est une nécessité, et recevoir est une nécessité pour la racine.

Vous êtes bon lorsque vous êtes pleinement éveillé dans votre discours.

Cependant, vous n'êtes pas mauvais lorsque vous dormez pendant que votre langue babille sans but,

Et même un discours balbutiant peut donner de la force à une faible langue.

Vous êtes bon lorsque vous marchez fermement vers votre but, d'un pas assuré.

Cependant, vous n'êtes pas mauvais lorsque vous y allez en boîtillant.

Car même ceux qui boîtent ne vont pas en arrière.

Mais vous qui êtes fort et vif, veillez à ne pas boîter devant l'infirme en croyant que c'est une preuve de gentillesse.

Vous êtes bon d'innombrables manières, et vous n'êtes pas mauvais lorsque vous n'êtes pas bon,

Vous n'êtes qu'un paresseux et un flâneur.

Il est dommage que les cerfs ne puissent enseigner la vitesse aux tortues.

C'est dans votre aspiration vers votre moi géant qu'on trouve votre bonté : et cette aspiration existe en chacun de vous.

Mais chez certains d'entre vous, elle est un torrent qui se précipite avec force vers la mer, emportant les secrets des collines et les chants de la forêt.

Et chez d'autres, c'est un courant paresseux qui se perd dans les coins et dans les méandres et qui flâne avant d'atteindre le rivage.

Mais que celui qui a de fortes aspirations ne dise pas à celui qui en a peu : « Pourquoi es-tu lent et pourquoi t'arrêtes-tu ? »

Car celui qui est vraiment bon ne demande pas à celui qui est nu : « Où sont tes vêtements ? » ni à celui qui n'a pas de toit : « Qu'est-il advenu de ta maison ? »

Alors une prêtresse dit : «Parle-nous de la prière».

Et il répondit en disant :

«Vous priez dans votre détresse et dans votre besoin ; mais que ne priez-vous aussi au comble de votre joie et dans vos jours d'opulence !

Car qu'est-ce que la prière sinon votre propre épanchement dans l'infinité des vivants ?

Et si c'est pour votre satisfaction que vous répandez votre osbcurité dans l'espace, c'est aussi pour votre joie que vous faites jaillir les premiers rayons de votre cœur.

Et si vous ne pouvez que pleurer lorsque votre âme vous invite à la prière, elle devrait vous éperonner encore et toujours, malgré vos pleurs, jusqu'à ce que vous éclatiez de rire.

Lorsque vous priez, vous vous élevez pour rencontrer dans l'invisible ceux qui prient à cettte même heure et que vous ne pouvez rencontrer que dans la prière.

C'est pourquoi, votre rencontre dans ce temple invisible ne soit que pour l'extase et pour une douce communion.

Car si vous n'entrez dans le temple que pour quémander, vous ne recevrez rien.

Et si vous y entrez pour vous humilier, vous ne serez pas relevé.

Et même si vous y entriez pour implorer ce qui est bon pour les autres, vous ne seriez pas entendu.

Il suffit que vous entriez dans le temple invisible.

Je ne peux pas vous apprendre à prier avec des mots.

Dieu n'écoute pas vos paroles sauf lorsque Lui-même les prononce par vos lèvres.

Et je ne peux pas vous apprendre la prière des mers, et des forêts, et des montagnes.

Mais vous qui êtes nés des montagnes et des forêts et des mers, vous pourrez trouver leur prière dans vos cœurs.

Et si seulement vous voulez écouter dans le calme de la nuit, vous les entendrez dire en silence : «Notre Dieu, qui êtes notre moi-ailé, c'est ta volonté qui veut en nous.

C'est ton désir en nous qui désire.

C'est ton élan en nous qui transforme nos nuits, qui t'appartiennent en nos jours, qui sont tiens aussi.

Nous ne pouvons rien te demander, car tu con-
nais nos besoins avant même qu'ils ne se manifes-
tent en nous :

Tu es notre besoin ; et en nous donnant davantage de toi, tu nous donnes tout. »

Alors un ermite qui visitait la ville une fois par an s'avança et dit : « Parle-nous du plaisir ».

Et il répondit en disant :

Le plaisir est un chant de liberté,

Mais ce n'est pas la liberté.

C'est la floraison de vos désirs,

Mais ce n'est pas leur fruit.

C'est une profondeur qui appelle une hauteur

Mais ce n'est ni un gouffre ni un sommet.

C'est l'oiseau prisonnier qui s'envole,

Mais ce n'est pas l'espace qui l'entoure.

Oui, en vérité, le plaisir est un chant de liberté.

Et je souhaiterais que vous le chantiez avec la plénitude de votre cœur ; cependant, je ne voudrais pas que vous perdiez vos cœurs en chantant.

Une partie de votre jeunesse cherche le plaisir comme si c'était tout. On les juge et on les rejette.

Je ne veux ni les juger ni les rejetter. Je voudrais qu'ils cherchent.

Car ils trouveront le plaisir, mais pas seulement lui.

Il a sept sœurs, et la moindre d'entre elles est plus belle que lui.

N'avez-vous pas entendu parler de l'homme qui creusait le sol pour trouver des racines et qui a découvert un trésor ?

Et certains de vos anciens se souviennent de leurs plaisirs avec regret, comme de méfaits commis dans l'ivresse.

Mais le regret assombrit l'esprit, il n'en est pas le châtiment.

Ils devraient se souvenir de leurs plaisirs avec reconnaissance, comme des moissons de l'été.

Cependant, si cela les réconforte d'avoir des regrets, laissons-les regretter.

Et il en est parmi vous qui ne sont pas assez jeunes pour chercher ni assez vieux pour se souvenir ;

Et dans leur crainte de chercher et de se souvenir, ils évitent tous les plaisirs de peur de négliger l'esprit ou de l'offenser.

Mais même dans leur abandon ils trouvent leur plaisir.

Et ainsi, eux aussi trouvent un trésor alors que, les mains tremblantes, ils creusent le sol pour trouver des racines.

Mais dites-moi, qui est capable d'offenser l'esprit ?

Le rossignol offense-t-il le calme de la nuit, ou la luciole les étoiles ?

Et vos flammes et votre fumée seront-elles un fardeau pour le vent ?

Croyez-vous que l'esprit est un paisible étang que vous pouvez troubler avec un bâton ?

Souvent, en vous refusant au plaisr, vous ne faites qu'entasser vos désirs dans le tréfonds de votre être.

Qui ne sait que ce que l'on oublie aujourd'hui attend à demain ?

Même si votre corps connaît son héritage et ses justes droits, et il ne veut pas être trompé.

Et votre corps est la harpe de votre âme.

Et il dépend de vous d'en tirer une douce musique ou des sons confus.

Et maintenant, vous vous demandez dans votre cœur : «Comment distinguerons-nous ce qui est bon dans le plaisir de ce qui ne l'est pas ?»

Allez dans vos champs et vos jardins, et vous apprendrez que c'est le plaisir de l'abeille de récolter son miel sur les fleurs,

Mais c'est aussi le plaisir de la fleur de dispenser son miel à l'abeille.

Car pour l'abeille, une fleur est une fontaine de vie,

Et pour la fleur, l'abeille est une messagère d'amour.

Et pour toutes les deux, l'abeille et la fleur, donner et recevoir le plaisir sont un besoin et une volupté.

Peuple d'Orphalèse, soyez dans vos plaisirs comme les fleurs et les abeilles.

Et un poète dit : «Parle-nous de la beauté».

Et il répondit :

«Où chercherez-vous la beauté, et comment la trouverez-vous si elle n'est pas elle-même votre voie et votre pilote ?

Et comment parlerez-vous d'elle si ce n'est pas elle qui tisse votre discours ?

Les mal-aimés et les handicapés disent : «La Beauté est douce et gentille.

Comme une jeune mère timorée par sa propre gloire, elle marche parmi nous».

Et les passionnés disent : «Non, la beauté est un élément de puissance et de crainte.

Comme la tempête fait trembler le sol sous nos pas et le ciel sur nos têtes. »

Ceux qui sont las et fatigués disent : «La Beauté est faite de doux soupirs. Elle parle dans notre esprit.

Sa voix cède à nos silences comme une faible lumière qui vacille par crainte de l'ombre. »

Mais les inquiets disent : «Nous l'avons entendue crier dans les montagnes,

Et ses cris s'accompagnaient d'un bruit de sabots, de battements d'ailes et du rugissement des lions.

La nuit, les veilleurs de la ville disent : «La Beauté montera à l'est avec l'aube».

Et à l'heure de midi, les travailleurs et les voyageurs disent : «Nous l'avons vue se pencher sur la terre depuis les fenêtres du couchant. »

En hiver, ceux qui sont isolés par la neige disent : «Avec le printemps, elle viendra en bondissant par dessus les collines. »

Et dans la chaleur de l'été, les moissonneurs disent : «Nous l'avons vue danser avec les feuilles d'automne et nous avons vu des particules de neige dans ses cheveux. »

Voilà tout ce que vous avez dit de la beauté.

Mais en vérité, vous ne parliez pas d'elle, mais de besoins insatisfaits,

Et la beauté n'est pas un besoin mais une extase.

Ce n'est pas une bouche désséchée par la soif ni une main vide qui se tend,

Mais plutôt un cœur enflammé et une âme ravie.

Ce n'est pas l'image que vous voudriez voir ni la chanson que vous voudriez entendre,

Mais plutôt une image que vous voyez à travers

vos yeux clos et une chanson que vous entendez quoique vous ayez fermé vos oreilles.

Ce n'est pas la sève dans l'écorce ridée, ni une aile attachée à une serre,

Mais plutôt un jardin toujours en fleurs et une troupe d'anges qui volent pour l'éternité.

Peuple d'Orphalèse, la beauté, c'est la vie quand celle-ci dévoile sa sainte face.

Mais vous êtes la vie, et vous êtes le rideau.

La Beauté, c'est l'éternité qui se regarde dans un miroir.

Mais vous êtes l'immortalité et vous êtes le miroir.

Et un vieux prêtre dit : «Parle-nous de la religion».

Et il dit :

«Ai-je parlé aujourd'hui d'autre chose ?

La religion n'est-elle pas toutes les actions et toutes les récollections,

Et ce qui n'est ni activité ni méditation, mais un étonnement et un ravissement qui se précipitent sur l'âme, même lorsque les mains taillent la pierre ou tendent le métier ?

Qui peut séparer sa foi de ses actes ou sa croyance de ses obligations ?

Qui peut étaler ses heures devant lui en disant : «Ceci est pour Dieu et ceci est pour moi ; ceci est pour mon âme et ceci est pour mon corps ?»

Toutes vos heures sont des ailes qui se secouent égoïstement à travers l'espace.

Celui qui porte sa moralité comme son meilleur vêtement ferait mieux d'être nu.

Le vent et le soleil ne lui troueront pas la peau.

Et celui qui règle sa conduite par la morale emprisonne son oiseau-chantéur dans une cage.

La chanson la plus libre ne traverse pas les barreaux et les treillis.

Et celui pour qui l'adoration est une fenêtre que l'on peut ouvrir et également fermer n'a pas encore visité la maison de son âme dont les fenêtres sont transparentes de l'aube à l'aube.

Votre vie quotidienne est votre sanctuaire et votre prière.

Chaque fois que vous y entrerez, emmenez-y tout ce qui est à vous.

Prenez la charrue et le soufflet de la forge, et la mailloche et le luth,

Tout ce que vous avez façonné par nécessité ou par plaisir.

Car en rêve, vous ne pouvez vous élever au-dessus de vos réussites ni tomber plus bas que vos échecs.

Et emmenez avec vous tous les hommes :

Car dans l'adoration, vous ne pouvez pas voler plus haut que leurs espoirs ni vous humilier plus bas que leur désespérance.

Et si vous voulez connaître Dieu, il n'est pas nécessaire de résoudre des énigmes.

Regardez plutôt autour de vous, et vous Le verrez jouer avec vos enfants.

Et regardez dans l'espace : Vous Le verrez marcher sur les nuages, étendre Ses bras dans les éclairs et descendre dans la pluie.

Vous Le verrez sourire parmi les fleurs, puis se lever et agiter les bras au milieu des arbres.

A lors, Almitra parla et dit : « Nous voulons t'interroger maintenant sur la mort. »

Et il dit :

« Vous voudriez connaître le mystère de la mort.

Mais comment le trouverez-vous si vous ne cher chez pas dans le cœur de la vie ?

Le hibou, dont les yeux attachés à la nuit sont aveugles dans le jour, ne peut pas dévoiler le secret de la lumière.

Mais si vous voulez vraiment contempler l'énigme de la mort, ouvrez largement votre cœur à l'élan de la Vie.

Car la vie et la mort ne sont qu'un, comme sont un la rivière et la mer.

Dans la profondeur de vos espoirs et de vos caprices gît votre silencieuse connaissance de l'au-delà.

Et comme les graines qui rêvent sous la neige, votre cœur rêve du printemps.

Faites confiance aux rêves, car c'est en eux qu'est cachée l'entrée pour l'éternité.

Votre crainte de la mort n'est que le tremblement du berger quand il se tient devant le roi qui va poser sa main sur lui pour lui faire honneur.

Sous son tremblement, le berger n'est-il pas joyeux de savoir qu'il va porter la marque du roi ?

Cependant, n'est-il plus conscient de son tremblement ?

Car qu'est-ce que mourir sinon se tenir nu dans le vent et se fondre dans le soleil ?

Et qu'est-ce que cesser de respirer sinon libérer le souffle de ses marées agitées, de sorte qu'il puisse s'élever, se répandre et chercher Dieu sans être encombré ?

Ce n'est qu'en buvant à la rivière du silence que vous pourrez vraiment chanter.

Et lorsque vous aurez atteint le sommet de la montagne, alors vous commencerez à grimper.

Et lorsque la terre appellera vos membres, alors vous allez vraiment danser.

Et maintenant, c'était le soir.

Et Almitra la voyante dit : «Bénis soient ce jour, et ce lieu, et ton génie qui a parlé».

Et il répondit : «Est-ce moi qui ai parlé ? N'étais-je pas aussi un auditeur ?»

Alors, il descendit les marches du temple et tout le peuple le suivit. Et il atteignit son navire et se dressa sur le pont.

Et faisant une nouvelle fois face au peuple, il éleva la voix et dit :

«Peuple d'Orphalèse, le vent m'enjoint de vous quitter.

Je suis moins pressé que lui, mais je dois aller.

Nous, les errants, qui cherchons toujours le chemin le plus solitaire, nous ne commençons pas un jour là où nous avons terminé un autre jour. Et aucun lever de soleil ne nous trouve où le soleil couchant nous a laissés.

Même lorsque la terre dort, nous parcourons le monde.

Nous sommes les graines de la plante qui s'accroche et c'est dans notre maturité et dans notre plénitude que nous sommes offerts au vent qui nous disperse.

Mes jours parmi vous ont été brefs, et plus brèves encore les paroles que j'ai prononcées.

Mais si ma voix devait s'éteindre dans vos oreilles, et si mon amour devait s'évanouir dans votre mémoire, alors je reviendrais,

Et je parlerais avec un cœur plus riche et des lèvres plus ouvertes à l'esprit.

Oui, je reviendrai avec le flux.

Et quoique la mort puisse me cacher et que le plus profond silence puisse m'envelopper, je rechercherai à nouveau votre jugement.

Et je ne le chercherai pas en vain.

Si quoi que j'aie pu dire est vrai, cette vérité se révélera d'une voix plus claire et en paroles plus proches de votre pensée.

Je pars avec le vent, peuple d'Orphalèse, mais je ne m'évanouis pas dans le vide.

Et si ce jour n'est pas l'accomplissement de vos besoins et de mon amour, alors, qu'il soit la promesse d'un autre jour.

Les besoins de l'homme changent, mais pas son amour, ni le désir que son amour puisse satisfaire ses besoins.

Aussi, sachez que je reviendrai du plus profond silence.

La brume qui se disperse à l'aube, ne laissant qu'une rosée sur les champs, se lèvera, se condensera en un nuage et retombera en pluie.

Et je n'ai pas été différent de la brume.

Dans le silence de la nuit, j'ai parcouru vos rues et mon esprit a pénétré dans vos demeures,

Et les battements de vos cœurs étaient en mon cœur, et votre souffle était sur mon visage, et je vous reconnaissais tous.

Oui, je connaissais vos joies et vos peines, et dans votre sommeil, vos rêves étaient mes rêves.

Et souvent, j'étais parmi vous comme un lac parmi les montagnes.

Je reflétais les sommets qui sont en vous, et les pentes courbes, et même les troupeaux errants de vos pensées et de vos désirs.

Et vers mon silence, les rires de vos enfants s'avançaient comme des ruisseaux, et les aspirations de vos adolescents comme des rivières.

Et lorsqu'ils atteignirent mes profondeurs, les ruisseaux et les rivières ne cessèrent pourtant pas de chanter.

Mais quelque chose de plus doux que leur rire et de plus grand que leurs aspirations s'est avancé vers moi :

C'est l'infini qui est en vous :

L'homme gigantesque dans lequel vous n'êtes tous qu'une force infime.

Lui dans le chant duquel toutes vos chansons ne sont qu'un muet tremblement.

C'est dans cet homme gigantesque que vous êtes grands,

Et c'est en le contemplant que je vous ai contemplés et que je vous ai aimés.

Car quelles distances l'amour peut-il atteindre qui ne soient pas dans cette vaste sphère ?

Quelles visions, quelles attentes et quelles présomptions peuvent-elles dépasser la hauteur de ce vol ?

En vous, l'homme immense est comme un chêne géant couvert de fleurs de pommier.

Sa puissance vous enchaîne à la terre, son parfum vous soulève dans l'espace et dans sa durée, vous êtes immortel.

On vous a dit que, comme la chaîne, vous êtes faibles comme votre plus faible maillon.

Mais ce n'est que la moitié de la vérité. Vous êtes également aussi forts que le maillon le plus fort.

Vous jauger d'après vos plus infimes actions, ce serait évaluer le pouvoir de l'océan par la fragilité de son écume.

Vous juger sur vos échecs, ce serait blâmer les saisons pour leur métamorphose.

Oui, vous êtes comme un océan,

Et quoique des navires lourdement échoués attendent le flux sur vos rivages, tout comme l'océan, vous êtes incapables de hâter les marées.

Et vous êtes aussi comme les saisons,

Et quoique dans votre hiver vous niiez votre printemps,

Le printemps qui repose en vous sourit dans sa somnolence sans en être offensé.

Ne croyez pas que je dise tout ceci pour que vous puissiez vous dire les uns aux autres : « Il nous a appréciés. Il n'a vu en nous que ce qui était bon. »

Je ne fais que vous dire en paroles ce que vous savez déjà vous-mêmes en pensées.

Et qu'est-ce que la connaissance verbale sinon l'ombre de la connaissance qui se passe de mots ?

Vos pensées et mes paroles sont le roulis d'une mémoire scellée qui conserve les souvenirs de nos jours passés,

Et des jours plus anciens, lorsque la terre ne nous connaissait pas et ne se connaissait pas elle-même,

Et des nuits au cours desquelles la tere était en plein chaos.

Des sages sont venus vers vous pour vous communiquer une part de leur sagesse. Moi, je suis venu pour vous prendre de votre sagesse :

Et voyez : j'ai trouvé quelque chose de plus grand que la sagesse.

C'est un esprit qui brûle en vous et qui récolte toujours davantage de lui-même,

Alors que vous, qui ne prenez pas garde à sa vive lucidité vous vous lamentez du rétrécissement de vos jours.

C'est la vie en quête de la vie dans des corps qui craignent le tombeau.

Ici, il n'est pas de tombeaux.

Ces montagnes et ces plaines sont un berceau et une ascension.

Chaque fois que vous passez devant le champ où vous avez enseveli vos ancêtres, regardez-le bien, et vous vous verrez vous-mêmes et vos enfants danser la main dans la main.

Souvent, vous vous réjouissez sans savoir pourquoi.

D'autres sont venus vers vous et contre de belles promesses faites à votre loyauté, vous ne leur avez donné que la richesse, le pouvoir et la gloire.

Moi, je vous ai donné moins qu'une promesse, et pourtant vous avez été plus généreux à mon égard.

Vous m'avez donné mon immense soif de la vie.

Il n'est certainement pas de plus grand don qu'on puisse faire à un homme que celui qui transforme tous ses desseins en lèvres sèches et toute la vie en une fontaine.

Et c'est en cela que je trouve mon honneur et ma récompense,

Dans le fait que chaque fois que je m'approche de la fontaine pour y boire, je découvre que l'eau vive elle-même a soif ;

Et elle me boit tandis que je la bois.

Certains d'entre vous ont trouvé que j'étais fier et peu enclin à recevoir des dons.

Trop fier en effet pour recevoir vos gages, mais pas vos dons.

Et quoique je me sois nourri de fruits sauvages

dans les collines alors que vous auriez voulu que je prenne place à votre table,

Et que je me sois assoupi sous le porche du Temple alors que vous m'auriez joyeusement offert un abri,

N'était-ce cependant pas votre aimable préoccupation de mes jours et de mes nuits qui a rendu la nourriture douce à mon palais et qui a orné mon sommeil de visions ?

Je vous rends surtout grâces pour ceci :

Vous donnez beaucoup, et vous ne savez même pas que vous donnez.

En vérité, la bienveillance qui se contemple dans un miroir se change en pierre,

Et une bonne action qui se pare elle-même de doux noms s'apparente à une malédiction.

Et certains d'entre vous ont dit que j'étais distant et ivre de ma propre solitude.

Et vous avez dit : « Il tient conseil avec les arbres de la forêt, mais pas avec les hommes.

Il s'assied tout seul au sommet de la colline et, de là, il laisse tomber son regard sur notre ville».

Il est vrai que j'ai escaladé les collines et que j'ai marché vers des lieux reculés.

Comment aurais-je pu vous voir sinon d'une grande hauteur ou d'une lointaine distance ?

Comment quelqu'un pourrait-il être proche s'il n'est pas éloigné ?

Et d'autres parmi vous m'ont interpellé, mais non pas en paroles, et ils ont dit :

«Étranger, étranger, toi qui es amoureux des hauteurs inaccessibles, pourquoi t'abrites-tu sur les sommets où les aigles bâtissent leurs nids ?

Pourquoi recherches-tu ce qu'on ne peut atteindre ?

Quelles tempêtes veux-tu capturer dans tes filets,

Et quels oiseaux vaporeux chasses-tu dans le ciel ?

Viens, et sois l'un d'entre nous.

Descends, calme ta faim avec notre pain, étanche ta soif avec notre vin. »

Dans la solitude de leurs âmes, c'est ce qu'ils ont dit.

Mais si leur solitude avait été plus profonde, ils auraient su que je cherchais seulement le secret de votre joie et de votre peine,

Et que je ne chassais que vos plus grands Moi qui voguent dans les cieux.

Mais le chasseur était aussi le gibier ;

Car plusieurs de mes traits ne quittaient mon arc que pour chercher ma propre poitrine.

Et celui qui volait était aussi celui qui rampait ;

Car lorsque mes ailes étaient déployées dans le soleil, leur ombre sur la terre était une tortue.

Et moi qui croyais, j'étais aussi celui qui doute ;

Car j'ai souvent plongé mon doigt dans ma propre blessure pour mieux croire en vous et mieux vous connaître.

Et c'est avec cette croyance et cette connaissance que je dis :

«Vous n'êtes pas enfermés dans vos corps, vous n'êtes pas confinés dans vos maisons ou dans vos champs.

Ce qui est Vous habite au-dessus de la montagne et vogue avec le vent.

Ce n'est pas quelque chose qui rampe dans le soleil pour trouver sa chaleur ou qui creuse des trous dans l'obscurité pour se mettre en sûreté,

Mais c'est quelque chose de libre, un esprit qui enveloppe la terre et se meut dans l'éther.

Si ces mots vous semblent vagues, ne cherchez pas à les éclaircir.

Vague et nébuleux, tel est le commencement de toute chose, mais non pas sa fin,

Et je voudrais que vous vous souveniez de moi comme d'un commencement.

La Vie, ainsi que toutes les vies, est conçue dans le brouillard et non dans le cristal.

Et qui sait si le cristal n'est pas une brume en décomposition ?

Je voudrais que vous vous souveniez de ceci quand vous penserez à moi :

Ce qui paraît le plus faible en vous, et le plus désorienté, est en réalité ce qu'il y a de plus fort et de plus décidé.

N'est-ce pas votre souffle qui a érigé et durci la charpente de vos os ?

Et n'est-ce pas une vision que plus personne d'entre vous ne se souvient d'avoir rêvé qui a construit votre cité et façonné tout ce qu'elle contient ?

Si vous pouviez seulement voir les marées de ce souffle, vous cesseriez de voir tout le reste,

Et si vous pouviez entendre le murmure de ce rêve, vous n'entendriez plus rien d'autre.

Mais vous ne voyez pas et vous n'entendez pas, et c'est très bien ainsi.

Le voile qui obscurcit vos yeux sera levé par les mains qui l'ont tissé,

Et l'argile qui emplit vos oreilles sera percée par les doigts qui l'ont pétrie.

Et vous verrez

Et vous entendrez

Cependant, vous ne serez pas affecté d'avoir connu la cécité et vous ne déplorerez pas d'avoir été sourds,

Car ce jour-là, vous connaîtrez les desseins cachés en toutes choses,

Et vous bénirez l'obscurité comme vous béniriez la lumière. »

Après avoir ainsi parlé, il regarda autour de lui et vit le pilote de son navire qui se tenait à la barre et qui regardait tantôt les voiles déployées et tantôt l'horizon.

Et il dit :

« Patient, trop patient est le capitaine de mon vaisseau.

Le vent souffle et les voiles s'agitent ;

Même le gouvernail attend les ordres.

Mais le capitaine attend tranquillement que je me taise.

Et ceux-ci, mes marins, qui ont entendu les chœurs de l'océan immense, ils m'ont aussi écouté avec patience.

Maintenant, ils n'attendront pas plus longtemps.

Je suis prêt.

La rivière a atteint l'océan et une fois de plus le sublime principe de vie étreint son fils contre son sein.

Adieu à vous, peuple d'Orphalèse.

Ce jour a pris fin.

Il se referme sur nous comme le nénuphar sur ses propres lendemains.

Ce qui nous a été donné ici, nous le conserverons.

Et de plus, dans un avenir prochain, nous nous réunirons à nouveau et ensemble, nous tendrons les mains vers le donateur.

N'oubliez pas que je reviendrai vers vous.

Encore un petit instant et mon ardent désir rassemblera la poussière et l'écume pour un autre corps.

Un petit instant, un moment de repos sur les ailes du vent, et une autre femme me portera dans son sein.

Adieu à vous et à la jeunesse que j'ai passée auprès de vous.

C'est hier à peine que nous nous sommes rencontrés en rêve.

Vous avez chanté pour moi dans ma solitude, et

moi, avec vos aspirations, j'ai bâti une tour dans le ciel.

Mais maintenant, notre sommeil s'en est allé, notre rêve est terminé, et ce n'est déjà plus l'aube.

L'heure de midi est sur nous, et notre demi réveil s'est changé en la plénitude du jour, et nous devons nous séparer.

Si nous devions nous rencontrer une fois encore dans le crépuscule de la mémoire, nous parlerions à nouveau ensemble et vous me chanteriez un chant plus profond.

Et si nos mains devaient se joindre dans une autre rêve, nous dresserions ensemble une autre tour dans le ciel.

Sur ces mots, il fit signe aux matelots qui levèrent aussitôt l'ancre et libérèrent le navire de son mouillage. Et ils s'éloignèrent vers l'est.

Et un cri monta du peuple comme s'il sortait d'un seul cœur, il s'éleva dans la pénombre, et il fut porté sur la mer comme une immense sonnerie de trompettes.

Seule Almitra demeura silencieuse, regardant le navire jusqu'à ce qu'il eut disparu dans la brume.

Et lorsque tout le peuple fut dispersé, elle continua à demeurer seule sur la jetée, se souvenant au fond de son cœur de ce qu'il avait dit :

«Un petit instant, un moment de repos sur les ailes du vent, et une autre femme me portera en son sein.»

les miroirs
de l'âme

KHALIL GIBRAN

Publié sous la direction de
ANDRÉ DIB SHERFAN

L'OEUVRE COMMENTÉE DU GRAND POÈTE ET PHILOSOPHE

EDITIONS SELECT

136 pages   **7.95**

EN VENTE PARTOUT

les trésors
de
la sagesse

KHALIL GIBRAN

Publié sous la direction de
ANDRÉ DIB SHERFAN

144 pages   7.95

EN VENTE PARTOUT

l'envol de l'esprit

KHALIL GIBRAN

Publié sous la direction de
ANDRÉ DIB SHERFAN

L'OEUVRE COMMENTÉE DU GRAND POÈTE ET PHILOSOPHE

ÉDITIONS SÉLECT

280 pages   **14.95**

EN VENTE PARTOUT

212 pages   **11.95**

EN VENTE PARTOUT

Composition : Gervic inc.

Imprimé au Canada